W9-CRZ-464

Cosmo
LE DODO^{MC}

Préface

Georges Brossard
*Entomologiste et fondateur
de l'Insectarium de Montréal*

Quelle bonne nouvelle!
Quelle bonne surprise!
Enfin, deux nouveaux tomes
de cette grande aventure
de notre bon ami et héros,
Cosmo le dodo : *L'Alliance 1 :
les inconnus* et *L'Alliance 2 :
l'attaque*. Ces livres viendront
combler tous les lecteurs jeunes ou vieux déjà conquis par les
aventures de Cosmo.

Comme vous le savez, Cosmo est un dodo. Il fait partie d'une
espèce d'oiseaux coureurs aux ailes trop petites pour voler.
Dans ma poursuite de la connaissance des insectes, j'ai
exploré plus d'une centaine de pays. Lors de l'une de mes
aventures sur l'île de Madagascar, située dans la région de
l'océan Indien, j'ai découvert en pleine jungle une preuve de
l'existence d'un autre oiseau mythique : un œuf d'**æpyornis**
en parfait état, que je possède encore aujourd'hui! Aussi
appelés **oiseaux éléphants**, ces gigantesques oiseaux
mesurant **plus de trois mètres de haut** et incapables de

voler ont disparu tout comme les dodos, il y a plus de 300 ans. L'æpyornis a donc vécu à quelques kilomètres de l'île Maurice où vivaient les colonies de dodos et notre héros Cosmo.

Je suis tellement ravi de la parution de ces deux nouveaux titres de Cosmo, car, cette fois-ci, les insectes sont liés aux aventures et péripéties de notre héros. Avec cette grande aventure vécue par Cosmo et ses amis, les lecteurs découvriront les dessous inouïs des insectes, qui ont développé au cours du temps l'art de protéger leur environnement immédiat. Comme vous le verrez, les insectes sont de véritables machines à inventions et des spécialistes du camouflage. Ils possèdent des moyens de défense redoutables. Ils utilisent des armes très modernes et font preuve d'intelligence, d'adaptation, de ruse et d'une panoplie de subterfuges!

De tout cœur, je veux féliciter Pat Rac, le créateur de Cosmo, et toute son équipe, qui ont travaillé à cette nouvelle aventure. Merci à vous tous de nous sensibiliser très efficacement à cette mission des moins égoïstes, et ce, afin d'éveiller chez les gens le respect de l'environnement et la protection de la vie. Cela fait de la Terre une planète incomparable et unique.

Cosmo
LE DODO ^{MC}

Cosmo est un dodo, un oiseau coureur aux ailes trop
petites pour voler. Il fait partie d'une espèce mythique
qui a réellement vécu sur la Terre. À une époque pas
très lointaine, lui et ses semblables régnaient sur une
île paisible, isolée du monde connu par l'homme : l'île
Maurice. D'une taille imposant le respect, les dodos
vivaient uniquement dans ce paradis terrestre,
à l'abri de tous les autres prédateurs.

Il y a environ 300 ans, seulement quelques
années après l'arrivée des premiers marins
sur l'île, les dodos ont quasi tous disparu…

Mais il reste encore Cosmo, le dernier
des dodos sur la Terre.

3RV

Venu du futur, 3R-V est un vaisseau-robot conçu pour sauver des espèces disparues. Lors de sa toute première mission, les événements ne se sont pas déroulés comme prévu : il s'est perdu à jamais dans le passé! Atterri par accident sur l'île Maurice, 3R-V a fait la rencontre de Cosmo, qui est devenu son meilleur ami. Sa nouvelle mission : aider Cosmo à trouver d'autres dodos en voyageant de planète en planète dans l'Univers. Optimiste et dédié à la cause de son compagnon, 3R-V donne véritablement des ailes aux aventures de Cosmo.

La planète filante

Avec son nouvel ami 3R-V, Cosmo a espoir de rencontrer d'autres dodos ailleurs dans l'Univers. Les explorations de ces héros les ont menés à vivre plusieurs aventures sur de nombreuses planètes...

Pour accélérer leurs recherches, Cosmo et 3R-V ont maintenant établi leur camp sur une planète filante libre d'orbite. De cette planète toujours en mouvement dans l'espace, nos héros continuent leurs recherches de dodos d'une galaxie à l'autre. Mais cette fois, Cosmo et 3R-V ne sont plus seuls dans cette aventure : ils font équipe avec de nouveaux compagnons sur la planète filante. Ensemble, ils forment désormais une communauté d'explorateurs dont les destins se sont liés afin de vivre de grandes aventures.

Les deux têtes (Droite et Gauche)

Les deux têtes forment une créature spéciale très originale. Elle a un seul corps, mais deux têtes séparées qui pensent chacune de leur côté. Nommée Droite, la tête droite est plus artistique, plus imaginative et plus émotive. Portant le nom de Gauche, la tête gauche, elle, est plus logique et plus scientifique. Lorsqu'elles ne sont pas occupées à réaliser leurs activités chacune de leur côté, les deux têtes passent leur temps à s'obstiner. Lorsqu'elles finissent par s'entendre, elles peuvent réaliser de grandes choses ensemble.

Fabri

Fabri est un grand naïf un peu inconscient. Maladroit de nature, il se met toujours les pieds dans les plats. Fabri est toutefois empli d'une bonne volonté, même si ses plans échouent la plupart du temps. Véritable boute-en-train du groupe, Fabri est une source d'énergie, d'humour et de gags.

Tornu

Tornu est en perpétuelle quête de pouvoir et de richesse. Il participe à l'aventure pour devenir riche, le plus riche de l'Univers. Ses tendances égocentriques le poussent à être plus solitaire et grognon. Ambitieux et débrouillard, Tornu possède un casque multifonctionnel qui se transforme selon ses besoins pour mettre en œuvre ses plans.

**Données de catalogage
avant publication (Canada)**

Les Éditions Origo
Les aventures de Cosmo
Concept original de Pat Rac

L'Alliance 1 – Les inconnus
Cosmo le dodo
D'après une idée originale de Pat Rac
Illustrations : Pat Rac
Collaboration visuelle : Jean-François Hains
Responsable de la rédaction : Joannie Beaudet
Collaboration éditoriale : Neijib Bentaieb
Vérification des textes : Audrée Favreau-Pinet et Jessica Hébert-Mathieu
Crédit photographique (Georges Brossard – couvert) : Jonathan Wenk
Crédit photographique (Georges Brossard – préface) : Steeve Duguay

ISBN 13 : 978-2-923499-35-2

Aucune édition, impression, adaptation ou reproduction de ce livre,
par quelque procédé que ce soit, électronique, photographique, sonore,
ou autre, ne peut être faite sans l'autorisation écrite de l'éditeur.

Les Éditions Origo, 2012 ©
Tous droits réservés

Directeur littéraire : François Perras
Direction artistique : Racine & Associés
Infographie : Racine & Associés
Capital de risque : Technologies HumanID

Dépôt légal :
Bibliothèque nationale du Québec, 2012
Bibliothèque nationale du Canada, 2012

Les Éditions Origo
Boîte postale 4
Chambly (Québec) J3L 4B1
Canada
Téléphone : 450 658-2732
Courriel : info@editionsorigo.com

Imprimé au Canada

Gouvernement du Québec – Programme de crédit d'impôt
pour l'édition de livres – Gestion SODEC

Cosmo le dodo est une marque de commerce de Racine & Associés inc.

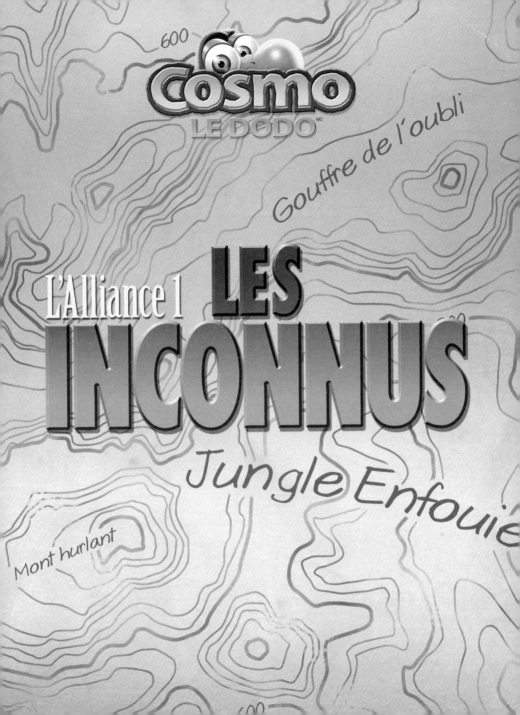

CHAPITRE 1

Espace vide

J'ai un pressentiment. Je sens que cette fois sera la bonne. Bien que, jusqu'à ce jour, nos expéditions sur plusieurs planètes n'aient pas donné de résultat, je suis sûr de trouver d'autres oiseaux de mon espèce. Quelque part dans ce vaste Univers, il existe sûrement une colonie de dodos.

Malgré la compagnie de mes amis de la planète filante, je ressens un sentiment de solitude à l'intérieur. Et si j'étais le dernier de mon espèce? C'est ce sentiment qui me pousse dans mes recherches. Pour la énième fois de la soirée, je jette un coup d'œil dans la lunette du télescope.

Toujours rien.

Pourtant, j'avais l'impression qu'il se passerait quelque chose aujourd'hui. Je me concentre afin de repérer une planète à visiter. L'Univers n'offre qu'une grande toile noire. Je n'ai jamais vu un tel vide dans l'espace. On n'aperçoit aucun scintillement d'étoiles.

Que se passe-t-il?

— Selon mes calculs, la planète filante traverse un désert sidéral, **lance Gauche devant mon interrogation.**

— *Un désert sidéral?* demandé-je.

— **Exactement!** La probabilité de croiser une planète au cours des prochains jours est nulle, affirme la tête scientifique.

Je ne veux pas y croire. Découragé, je baisse la tête.

— *Pas très délicat de ta part,* pointe Droite à Gauche.

Navrées, les deux têtes me regardent m'éloigner.

Le jour se lève sur la planète filante. Toute la nuit, j'ai songé à mon avenir. Je marche vers un champ où je tourne plusieurs fois en rond. Mon ami 3R-V se tient près de moi.

— *J'espérais partir sur une planète à la recherche d'autres dodos comme moi*, dis-je à mon fidèle ami. *Au lieu de cela, nous faisons les cent pas. Cette traversée du désert me donne l'impression d'être le dernier des dodos dans tout l'Univers!*

Désespéré, je m'assois au milieu des fleurs.

3R-V pose sa main dans mon dos.

— Ne désespère pas, Cosmo. Il y a parfois des journées plus difficiles, mais il faut garder espoir, répond le vaisseau-robot sur un ton encourageant.

Peu convaincu, je soupire. Un léger murmure se lève autour de moi; ce sont les espérances. Que veulent-elles? Ces fleurs ne prennent que très rarement la parole.

— Cosmo, Cosmo! Nous comprenons ta peine, ton chagrin, ta tristesse, chantonnent-elles de leurs voix douces.

— **Impossible,** dis-je aux fleurs.

— Ton malheur est le même que l'arbre à fleurs, murmurent les espérances en pleurs.

— **L'arbre à fleurs?** répété-je, intrigué.

Les espérances unissent leurs voix pour nous raconter l'histoire de l'arbre à fleurs, un arbre plus beau que la beauté elle-même! En son cœur se cacherait un mystérieux pouvoir magique. Cet arbre fleuri, selon les espérances, vit sur la planète filante, au milieu de la jungle Enfouie.

— Tout comme toi, cet arbre est le seul et unique de son espèce, soupirent en douceur les espérances.

— Comme la nature est unie, liée, connectée, nous ressentons jusqu'ici sa grande peine, ajoutent les petites fleurs.

Cette histoire me touche beaucoup. Déjà, je me sens très près de cet arbre.

— *Pourquoi est-il le seul arbre à fleurs?*

— C'est un mystère, murmurent les espérances. Une aura de tempête, de danger menace la survie de cet arbre si particulier.

— **Dépêchons-nous de le secourir!**
propose 3R-V.

Le vaisseau-robot commence à marcher d'un bon pas.

— **Lève-toi, Cosmo!**

— *Mais nous devons continuer à scruter l'espace afin de trouver une planète à explorer,*
dis-je, préoccupé.

— Selon Gauche, nous ne croiserons pas de planètes avant plusieurs jours. Suis-moi, insiste 3R-V.

— *Une seule idée me trotte en tête : l'absence de planète et, par conséquent, de dodos. Je n'ai pas le cœur à explorer la jungle de la planète filante. Cette fois-ci, je resterai au nid.*

3R-V s'emporte.

— Ce n'est pas parce que nous n'avons pas trouvé de dodos jusqu'à aujourd'hui que nous n'en découvrirons jamais! soutient mon ami. De plus, le temps passera beaucoup plus vite dans la jungle qu'ici à te tourner les bouts des plumes. À notre retour, peut-être même approcherons-nous de la fin du désert sidéral!

Hésitant, je penche la tête.

— Pense à l'arbre à fleurs, ajoute 3R-V.

Mon ami a touché ma corde sensible; je suis incapable d'abandonner ce fabuleux arbre à son triste sort. Je lève les yeux vers 3R-V et dis :

— *Ne perdons pas une seconde de plus!*

Je bondis sur mes pieds et enclenche un pas de course.

— Où vas-tu? demande le vaisseau-robot, stupéfait.

— *Nous ne pouvons réussir cette mission sans nos amis!*

— Yahou! À l'aventure! s'écrie 3R-V, fier de moi.

CHAPITRE 2

Branle-bas

Motivé, 3R-V vole à toute vitesse convoquer les deux têtes, Fabri et Tornu. Rapidement, mes compagnons de la planète filante arrivent autour de moi. Tous sont surpris par mon urgence. Sans plus attendre, je leur raconte l'histoire de l'arbre à fleurs.

— **Ggrr! Un arbre,** dit Tornu, totalement déçu. **Tout ce branle-bas pour un vulgaire arbre!**

— Vulgaire? Pas du tout! corrige 3R-V. Il paraît même que cet arbre est **magique**.

À ce mot, Tornu tend l'oreille.

— **Magique? Quel pouvoir a-t-il?** demande Tornu.

— Les espérances ne nous ont rien précisé sur le sujet, répond 3R-V.

— *Peut-être l'arbre à fleurs fait-il apparaître des lapins!* songe Fabri.

— **Andouille!** réplique Tornu. **Son pouvoir a probablement quelque chose de plus... prestigieux.**

Tornu tourne les talons et s'éloigne à toute vitesse.

— **Où vas-tu, Tornu?** demande 3R-V.

— **Dans la jungle Enfouie. Ne partons-nous pas tout de suite?**

Les deux têtes font signe que non, au grand désespoir de Tornu.

— Si nous voulons aider cet arbre, nous devons en savoir un peu plus, réfléchit Gauche.

— *Autre que magique, comment les espérances ont-elles décrit l'arbre à fleurs?* interroge Droite.

— *Très beau avec ses milliers de fleurs... Les espérances ont également spécifié qu'il était unique.*

— L'arbre à fleurs pousse au milieu de la jungle Enfouie, ajoute 3R-V. Savez-vous où se situe ce lieu?

— **La jungle Enfouie?** Peut-être bien, dit Gauche, perplexe. J'ai possiblement quelque chose qui pourrait nous aider.

Les deux têtes foncent vers leur bibliothèque débordante de rapports scientifiques, de textes poétiques, de formules mathématiques et d'illustrations fantastiques.

Les yeux de Gauche parcourent frénétiquement les rangées classées méthodiquement sur son côté de la bibliothèque.

— Je n'y comprends rien! Mon encyclopédie devrait être juste là, entre mes ouvrages *Éclipses stellaires* et *Équations cosmiques!* Il n'y a qu'une explication : **Droite, où as-tu mis mon livre?!**

— *Un instant!* Comme tu le dis si bien, c'est ton bouquin! *Je n'y ai pas touché!* réplique la tête droite aux accusations.

Gauche grogne et ajoute :

— Tu devrais mettre un peu d'ordre dans ton fouillis!

— *Cesse de critiquer mon système de rangement! Grâce à lui, je ne perds jamais rien!*

Droite tasse nonchalamment un tas de feuilles griffonnées et découvre finalement le livre de Gauche : l'*Encyclopédie de l'étrange*, qui contient des réponses sur presque tout ce qui est mystérieux.

— *Tiens, c'est ce que tu cherchais? Je te l'avais bien dit que mon système fonctionnait : je trouve toujours ce que je recherche!*

Entrée de la JUNGLE ENFOUIE

ARCHE NATURELLE

Cette jungle légendaire aux dimensions... portionnées serait le refuge... d'espèces vivant...

Gauche empoigne le livre et l'ouvre immédiatement à un endroit contenant une carte géographique de la planète filante.

— **C'est là**, pointe Gauche. Nous n'avons toutefois jamais exploré cette partie de la planète filante.

De retour parmi nous, les deux têtes nous montrent dans leur encyclopédie l'endroit où se situe la jungle Enfouie.

— C'est très, très, très loin. Cette expédition va demander plusieurs préparatifs! précise Gauche.

— Une fois sur place, comment ferons-nous pour percer le mystère de cet arbre à fleurs sans notre laboratoire à proximité? questionne Droite. Un long silence s'installe.

— **J'ai une idée**, lance soudainement la tête gauche. Mais nous aurons besoin du reste de la journée pour la préparer.

— *Dans ce cas, allez-y, les deux têtes. De notre côté, nous allons préparer le matériel pour cette grande expédition. Dès l'aube, nous partirons à l'aventure.*

CHAPITRE 3

Insectes vo... voraces?

Au lever du soleil, les deux têtes sont toujours concentrées dans leur laboratoire à réaliser leur mystérieuse idée : probablement une toute nouvelle invent'œuvre!

De notre côté, tout est prêt pour l'expédition. Je suis impatient de partir à la découverte de l'arbre à fleurs.

Du coin de l'œil, j'aperçois quelque chose de coloré. C'est le chapeau de Fabri.

— *Il est beau mon chapeau,* **hein?** se pavane Fabri avec fierté. *Il est conçu exprès pour les expéditions dans la jungle.*

— **Dis plutôt qu'il est conçu pour attirer les insectes voraces!** grogne Tornu devant tant de couleurs.

— *Les... quoi?* bafouille Fabri.

— **Les insectes voraces!** répète Tornu. Aaah, tu ne savais pas que la jungle regorge de milliers de créatures hideuses, cruelles et munies de dards pointus? **Les couleurs vives les attirent plus que tout!**

Sans perdre une seconde, Fabri enlève son chapeau d'explorateur et le lance au loin.

— **Ça ne sert à rien**, dit Tornu d'un ton vilain. **Tu es mauve, les insectes adorent le mauve!**

— EURÊka!

crient soudainement les deux têtes.
Notre *invent'œuvre* **fonctionne!**

Les deux têtes nous rejoignent.

— **Nous pouvons y aller,** lance Gauche, excitée à l'idée de tester l'invention.

— ***Mais où est votre fameuse invent'œuvre?*** demandé-je.

— *A l'intérieur de notre sac!* précise Droite.

— **Allons, ne perdons plus un instant et partons à l'aventure,** s'écrie Gauche.

– NOOOONNN!

hurle Fabri. Tous nos regards se tournent vers le bonhomme mauve.

– *S'il y a des insectes dans la jungle, je n'y vais pas!* affirme Fabri, la peur au ventre.

– **Nous avions prévu le coup.** Donne-lui le vaporisateur! ordonne Gauche à la tête droite. Voici un chasse-insectes qui éloigne les insectes, poursuit Droite.

Un jet et hop! aucune bestiole ne s'approchera de toi!

Fabri s'empare du vaporisateur. Avant que le bonhomme
mauve n'active le vaporisateur, Gauche l'arrête :

_Attends!!!

Fabri sursaute, Droite jette un regard interrogateur vers sa jumelle.

— Tu lui as remis le mauvais contenant, tête en l'air! lance Gauche à Droite.

— *Oups!* s'excuse Droite en échangeant les contenants. *J'ai commis une petite erreur,* ajoute-t-elle en remettant cette fois à Fabri la bonne bouteille.

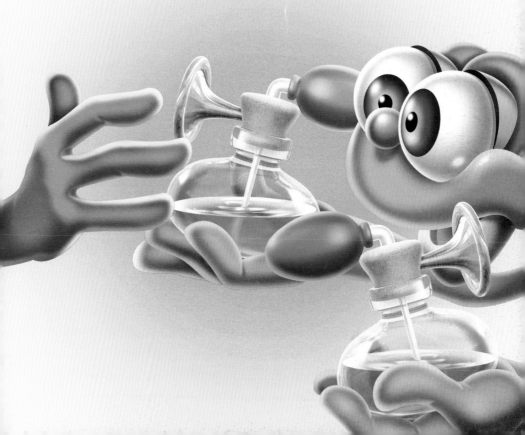

— Une petite?! **Je dirais une grosse erreur,** corrige Gauche, furieuse, en remettant la mystérieuse invent'œuvre dans leur sac à dos. Puis, elle se tourne vers Fabri et ajoute :

— **Un peu plus et Fabri s'aspergeait avec notre invent'œuvre qui fait…**

Fabri n'attend pas la fin de la phrase; il s'asperge de la tête aux pieds avec le chasse-insectes.

À travers le nuage de produit répulsif, je lance :
— **_Dépêchons-nous! Surtout si nous voulons trouver l'arbre à fleurs avant la tombée de la nuit._**

CHAPITRE 4

Push push

Fabri marche à l'arrière, un nuage de chasse-insectes autour de lui. Tout près, Tornu le suit. En avant, 3R-V et moi talonnons les deux têtes. Nous nous enfonçons très loin dans la jungle.

Les heures passent. La marche semble sans fin. Fabri nous demande sans cesse si nous sommes bientôt arrivés. Chaque fois, Tornu prend un malin plaisir à répondre « **NON** » !

Au bout d'un moment, je lève les yeux et, devant moi, se dresse une arche naturelle formée de feuilles et de lianes enroulées. C'est une merveille !

—**Voilà l'entrée de la jungle Enfouie!**
proclame Gauche.

— *Personne n'a franchi cette frontière depuis des siècles et des siècles,* explique Droite, contemplative.

— ***Sommes-nous enfin arrivés?*** demande Fabri.

— **Non**, répond Gauche. L'arbre à fleurs est encore loin. Nous ne faisons qu'entrer dans la jungle Enfouie, dit-elle en confirmant avec son *Encyclopédie de l'étrange*.

— ***J'ai peur de manquer de chasse-insectes!*** se plaint le bonhomme mauve tout en s'aspergeant de nouveau avec le vaporisateur.

PUSSSHH!

41

Nous toussotons, asphyxiés par le nuage de chasse-insectes.

— **Arrête de gaspiller le produit comme ça,** grommelle Tornu. **Sinon, ce n'est pas des insectes dont tu devras avoir peur, mais de moi!**

***

Un à la suite de l'autre, nous foulons le sol de la jungle Enfouie. De l'autre côté, le décor a changé : les arbres sont énormes, la végétation est dense, les fleurs dégagent des arômes délicieux, la chaleur et l'humidité s'intensifient. Toutes mes plumes collent sur ma peau.

Avec excitation, Droite et Gauche ne cessent de décrire les beautés de la végétation. Il y a tant de plantes fascinantes à étudier et tant de couleurs à observer! Les deux têtes ne savent plus où donner de la tête.

— **As-tu vu cette plante-là?** s'émerveille Gauche. C'est un Trubulus zébré à longue tige.

— *Et celle-ci!* dit Droite en pointant une autre fleur multicolore. *Ses couleurs sont comme de la poésie pour les yeux!*

— Je me demande comment l'arbre à fleurs peut être plus beau que ça! ajoute Gauche.

— Comment sauverez-vous ce fameux arbre? demande 3R-V.

— Nous devons d'abord l'étudier, **répond la tête scientifique.** Avec notre invent'œuvre, ce sera facile de...

Les deux têtes disparaissent dans un nuage de chasse-insectes.

— **Teuf! teuf!** Fabri, pourquoi nous as-tu aspergées de chasse-insectes? demande Gauche au bord de l'étouffement.

— *Il y avait un... un... insecte sur votre épaule!* bafouille le bonhomme mauve.

Le cœur de Fabri bat la chamade. Être au milieu de la jungle le rend de plus en plus nerveux.

— *Les insectes ne sont pas si répugnants que ça,* dit Droite pour le rassurer. *Au contraire, certains sont magnifiques avec leur carapace colorée et...*

— **AAaah!** interrompt le bonhomme mauve, paniqué. *Il y a une autre bestiole juste sur la tête de Tornu!*

Armé de son vaporisateur, Fabri fonce vers Tornu.

PLISSSHH! FLISSSHH!

— **Ggrrrr!** C'est le push push qui fait déborder le vase! **Donne-moi la bouteille sur-le-champ!** ordonne Tornu, qui part à la poursuite de Fabri.

45

CHAPITRE 5

Aucune trace

Il n'y toujours aucune trace de l'arbre à fleurs. Comme le soleil est sur le point de se coucher, nous nous arrêtons pour la nuit. Nous établissons notre campement au sommet d'une petite colline. 3R-V et moi allumons un feu de camp tandis que les deux têtes déterminent notre itinéraire pour demain.

— *Je sens que nous sommes tout près!* jubile Droite.

— Dommage que la noirceur nous empêche de voir plus loin que le bout de notre nez! déplore Gauche, le regard tourné vers la sombre jungle.

De leur côté, Fabri et Tornu ont terminé l'installation de la tente. Fabri asperge tout le campement avec son chasse-insectes. Lorsque le bonhomme mauve passe tout près de Tornu, ce dernier lui fait une jambette. Fabri tombe à la renverse, échappant son précieux vaporisateur.

46

Un sourire en coin, Tornu attrape au vol le chasse-insectes.

— *Rends-moi MON chasse-insectes!* s'écrie Fabri.

— **NON!** Mais je pourrais peut-être te l'échanger contre quelques pièces d'or, propose Tornu, le regard mesquin.

Fabri lance un regard menaçant à Tornu.

— *Je veux MON chasse-insectes sur-le-champ!*

— **Tu veux du chasse-insectes?!** grogne Tornu. **En voilà!**

Tornu envoie un jet directement dans l'œil de Fabri.

-*Ouille! ça brûle!* se plaint Fabri. *Je vois tout embrouillé,* ajoute-t-il, paniqué.

— **Comme ça, tu ne verras plus les insectes!** lance Tornu d'un air moqueur.

Aveuglé, Fabri court dans toutes les directions. Peu à peu, il s'éloigne du campement. Il s'enfonce dans la sombre jungle. Le bonhomme mauve finit par trébucher sur une racine et il atterrit tête première dans une flaque d'eau.

***

Fabri est de retour au campement. Sa dispute avec Tornu continue de plus belle. À bout de nerfs, les deux têtes confisquent le vaporisateur à Tornu.

— Comme vous n'utilisez pas correctement le chasse-insectes… gronde Droite.

— … **nous le conserverons avec nous!** termine Gauche.

— *Noooon!* panique Fabri.

Les deux têtes rangent la
bouteille dans leur sac à dos.

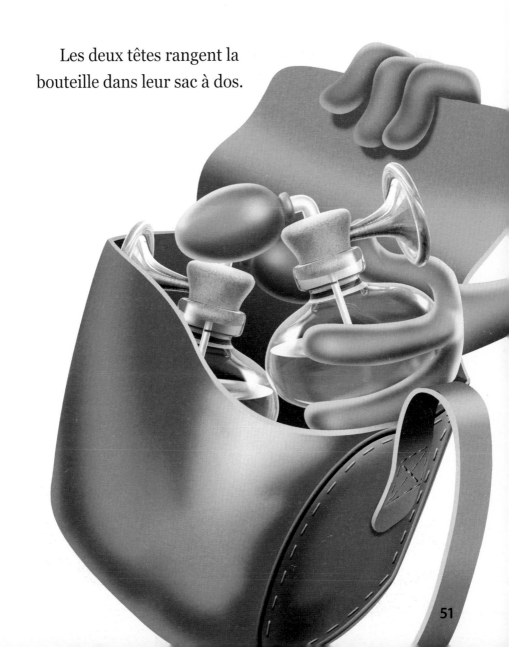

Un peu plus tard, nous sommes tous assis autour du feu. À côté de moi, Fabri est terrorisé par la présence des insectes. Je me penche vers lui.

— *Pourquoi as-tu peur de ces petites créatures?*

— *Les insectes sont laids, poilus et méchants!*

— La plupart du temps, les insectes sont inoffensifs, explique Gauche. Ils attaquent pour se défendre.

— *De plus, les insectes sont minuscules!* ajoute Droite. *Ce n'est pas comme dans la légende.*

— *Quelle légende?* demande Fabri.

— *La légende des insectes géants!* murmure Droite de façon effrayante.

Au même moment, le feu de camp s'éteint brusquement et une traînée de fumée s'élève dans le ciel.

— ***AAaah!*** crions-nous, apeurés.

La nuit est sombre dans cette partie de la jungle. 3R-V allume son projecteur.

— **Allons dormir,** lance Gauche, un seau d'eau dans la main. Elle éteint les braises restantes du feu. Tu raconteras cette légende-là un autre soir, Droite!

— **Non, non!** refuse Tornu. **Raconte-la ce soir! Je veux voir la face de Fabri quand tu décriras les insectes géants avec leurs pinces affilées comme des couteaux, leurs yeux rouges vitreux et leurs mandibules poilues!**

Sous le projecteur, j'aperçois le regard livide de Fabri.

— ***Tais-toi, Tornu!*** dis-je. ***Fabri a peur.***

— **Hi, hi, hi!** ricane Tornu.

53

Droite et Gauche entrent en premier sous la tente. Les deux têtes sortent leur sac à dos à l'extérieur afin de libérer un peu d'espace. Moins d'une minute plus tard, Tornu ronfle. Les deux têtes et 3R-V s'endorment à leur tour.

Sous la tente, j'entends les tremblements nerveux de Fabri. Son œil est encore grand ouvert. Je voudrais le réconforter, mais je suis épuisé. Je sombre rapidement dans un profond sommeil.

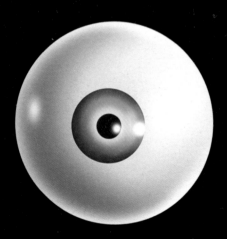

CHAPITRE 6

Réveil brutal

Aux premiers rayons de soleil, j'ouvre un œil. J'étire mes ailes en bâillant. Tous mes amis dorment à côté de moi, et même Fabri a un air paisible. À travers les parois de la tente, je devine que le soleil brille. Une autre belle journée qui commence!

Soudain, le sol tremble. Des grognements et des claquements étranges résonnent tout près.

Mes amis se réveillent brutalement.

— *Des monstres?* pense tout de suite Fabri.

— Il n'y a pas de monstres sur la planète filante, assure Gauche, confiante.

Les deux têtes perdent un peu de leur assurance.
Et si Fabri avait raison? S'il y avait des monstres
sur la planète filante? Elles se penchent pour
ouvrir la fermeture à glissière de la porte.
Au même moment, notre tente est emportée
dans un tourbillon. D'énormes pinces
pointues et affilées déchirent les parois;
c'est la panique sous la tente!

SCRRRIIIIIIITCHHH!

Tornu enfile son casque multifonctionnel à toute vitesse et entre le code pour le transformer en vrille. Alors qu'il tente de fuir dans le sol, une horrible pince saisit sa jambe et le soulève hors de ma vue.

Les deux têtes sont les suivantes à être capturées.

Fabri court très vite hors de la tente. Pris sous la toile, je ne le vois pas, mais j'entends son cri :

–Aaaaaahhh...

Tout d'un coup, plus un son. Il a probablement été capturé.

Il ne reste plus que 3R-V et moi.
Je me tourne vers mon ami. D'énormes pinces le
retiennent de toute part.

— **Sauve-toi, Cosmo!**

crie le vaillant vaisseau-robot.

Je m'extirpe avec difficulté de la tente. Je n'ai pas fait un pas qu'une immense créature se braque devant moi.

Avec son énorme pince, le monstre hideux me donne un coup sur la tête. La dernière chose que je vois avant de perdre connaissance est son menaçant regard rouge.

CHAPITRE 7

Le chef des Dourbons

— Cosmo! murmure une voix. Réveille-toi!

Peu à peu, je reprends mes esprits. Ma tête élance; je sens battre mon cœur dans mes tympans. Où suis-je? J'ouvre péniblement les yeux. À côté de moi, 3R-V soupire.

— Ouf! Cosmo va mieux!

Je fais un tour d'horizon pour évaluer la situation : mes amis et moi sommes enfermés dans une cage soulevée par de hideuses créatures. En fait, il y a des monstres géants tout autour de nous. Une véritable armée!

Qui sont ces créatures et que nous veulent-elles?

— **Je ne comprends plus rien!** lance Gauche. **Tout abord, l'attaque des monstres!**

— *Ensuite, cette étrange végétation autour de nous,* poursuit Droite.

— Nous qui croyions tout connaître *sur la planète filante!* soupirent en chœur les deux têtes.

L'étrange végétation? De quoi parlent les deux têtes? À travers les barreaux de la cage, j'observe avec attention la jungle qui nous entoure. Je n'ai jamais vu de feuilles, de fleurs et de racines aussi grandes que ça. Tout est disproportionné dans ce coin reculé de la jungle Enfouie.

— ***Invraisemblable!*** dis-je, pétrifié.

Brusquement, un monstrueux visage apparaît dans mon champ de vision. C'est la même créature qui m'a assommé. Je recule de quelques pas devant sa présence imposante. Avec ses énormes pinces, le monstre brasse notre cage.

— **Je suis Zark, le chef des Dourbons!**

révèle fièrement l'énorme créature.

Le timbre de sa voix est grave et profond.

— **Nous allons jusqu'à la colonie où vous serez jugés pour espionnage!** commente Zark.

— *Des espions!* répétons-nous. ***Non, nous...***

— **Taisez-vous!** hurle-t-il de sa grosse voix. **Vous êtes mes prisonniers et je vous ordonne le silence. Sinon, vous subirez la colère de mes pinces.**

CHAPITRE 8

GI-GAN-TES-QUE!

En silence, nous nous enfonçons dans la végétation dense. Au bout d'un long moment, je lève les yeux vers le ciel. Nous sommes si loin dans la jungle Enfouie; je n'ai aucun repère au milieu de cette végétation démesurée. Le soleil a peine à se frayer un chemin à travers les immenses feuilles opaques.

Peu à peu, j'entends un bourdonnement : un mélange de pas et de murmures. Le chef des Dourbons déplace une feuille géante. De l'autre côté apparaît un village situé au pied d'un grand arbre. Les deux têtes sont sous le choc! Elles ignoraient tout de ce village sur la planète filante.

Un scintillement frappe mes yeux. Qu'est-ce que cette lumière? Je lève mon regard vers le ciel et sursaute : devant moi se dresse le plus bel arbre qui soit... et le plus grand, aussi!

— *Est-ce l'arbre à fleurs?* demandé-je, le souffle coupé.

— **Il n'y a aucun** *doute,* *Cosmo!* jubilent les deux têtes à côté de moi. **N'est-il pas** *fabuleux?*

Pendant une seconde, nous oublions notre captivité. Je suis sans mots. 3R-V est également sous le charme. Recouvert de fleurs géantes, l'arbre brille comme un arc-en-ciel. Un doux parfum chatouille mes narines. Je prends une grande respiration et je ferme les yeux. L'arbre à fleurs a quelque chose de réconfortant. Même Fabri sort de sa torpeur.

— *Cet arbre ressemble à un bouquet de fleurs géant!*

— *L'arbre à fleurs est plus que géant. Il est* gi-gan-tes-que! commente Droite.

Gauche ajoute:

— Je ne sais pas si notre invent'œuvre aurait été capable de...

La réalité nous rattrape. Le chef des Dourbons nous ordonne le silence. Fabri se recroqueville à nouveau. Il y a tant de créatures étranges dans cette colonie; nous sommes cernés de tous les côtés. Pourtant, je n'en crois pas mes yeux! Dire que tous ces gens habitent sur la planète filante et nous n'avions aucune idée de leur existence... Je me demande s'il n'y a pas un autre dodo parmi eux!

CHAPITRE 9

Accueil partagé

À la vue des Dourbons, toutes les créatures se figent de peur. Rapidement, elles libèrent un passage pour l'armée. Le chef des Dourbons s'arrête au pied d'une racine géante. Une vieille créature ailée descend lentement l'escalier de l'arbre à fleurs.

— *Bonjour, Zark!* dit-elle avec une voix chevrotante, mais réconfortante.

— Je vous salue, grande sage Bellule, dit le chef des Dourbons en s'inclinant.

— *Que nous apportez-vous en cette radieuse journée?* demande Bellule, le regard tourné vers notre cage.

— **J'ai capturé ces espions alors qu'ils campaient en haut de la colline, près du barrage.**

— ***Nous ne sommes pas des espions!*** dis-je avec vigueur.

— **SILENCE!** hurle le chef des Dourbons.

— *Calmez-vous, Zark! Ces êtres ne sont pas nos ennemis.*

— **QUOI?!** fulmine le chef des Dourbons.

— *Ce sont nos invités.* **Libérez-les!** ordonne la grande sage.

Zark est furieux.

— **À une certaine époque, ça ne se passait pas comme ça!**

— *Heureusement, cette époque est révolue grâce à l'Alliance. Maintenant, nous devons tous vivre ensemble dans la paix.*

Rouge de colère, le chef des Dourbons pointe dans notre direction.

— **Ces choses ne sont même pas des insectes!**

— *Qui a dit que l'Alliance n'était que pour les insectes?* réplique Bellule. *L'Alliance est pour tous les êtres : elle préserve la vie et assure la prospérité.*

Le chef des Dourbons explose :

— **Avant cette maudite Alliance, nous étions les maîtres du monde. Notre force était vénérée de tous. Nos pinces étaient louangées.**

73

L'armée des Dourbons claque ses pinces.

— **Aujourd'hui,** poursuit Zark, **nous ne pouvons même plus capturer des espions. Ils sont « nos amis »,** ajoute-t-il d'un ton méprisant. **Faites ce que vous voulez de ces créatures!**

Le chef des Dourbons lance un regard menaçant à Bellule. Ensuite, il se tourne vers son armée.

— **Nous n'avons plus rien à faire ici!**

L'armée des Dourbons quitte le village avec fracas.

CHAPITRE 10

Des insectes… GÉANTS!

Bellule vient vers nous, le sourire aux lèvres. La sage ouvre la porte de notre cage. Quelque peu craintifs, nous sortons à l'extérieur. La foule curieuse se resserre autour de nous.

— *Bienvenue dans notre colonie!* lance la grande sage.

— *Bonjour*, dis-je en m'inclinant devant Bellule. *Je suis Cosmo. Voici Tornu, 3R-V, les deux têtes et... Fabri.*

Le bonhomme mauve est toujours recroquevillé au fond de la cage.

— *Sors de ta cachette*, lui dis-je.

— *Cosmo! Ce sont des insectes géants! Des insectes GÉANTS!* répète Fabri au bord de la panique.

Fabri referme la porte de la cage sur lui. Je hoche la tête, découragé.

— *Si vous n'êtes pas des insectes,* s'interroge Bellule, *qui êtes-vous?*

— *Je suis un dodo, une espèce d'oiseau.* En réalisant qu'elle n'a jamais croisé de créatures comme nous, encore moins de dodos, j'ajoute, attristé : *le dernier de mon espèce.*

Déçu, je baisse la tête. Un malaise silencieux s'installe. Afin de rétablir la discussion, les deux têtes enchaînent :

— *Vous êtes un peuple fascinant!* commence Droite.

— **Nous voulons tout savoir sur vous!** ajoute Gauche.

— *Suivez-moi,* *je vais vous faire visiter notre colonie,*
dit Bellule.

Les deux têtes sont enchantées. Tornu ne dit pas un
mot : il observe les alentours à la recherche d'indices,
comme s'il cherchait un trésor.

Quant à 3R-V et moi, nous tentons de convaincre
notre ami Fabri.

— Sors de la cage! demande 3R-V.

— *Ces insectes géants sont nos amis,* dis-je.

— *PFF!* rouspète Fabri. *Des amis qui nous
pourchassent, nous capturent et nous menacent!*

À ces mots, la grande sage s'approche de lui.

— *Ne t'inquiète pas,* rassure Bellule. *Tous les insectes ici
présents ne te feront aucun mal. Il n'y a que les Dourbons
qui ont un comportement explosif. En vous capturant, ils
croyaient protéger notre colonie. Habitués à utiliser leur
force, les Dourbons ont difficilement intégré l'Alliance. Ils se
sont mal adaptés aux changements,* déplore la grande sage.

— Quelle est cette histoire d'Alliance? demande Droite.

La grande sage se lance dans une longue tirade :

— *Au début des temps, il y a des millions d'années, peu de végétation poussait sur la planète filante. Les insectes s'entretuaient pour chaque brin d'herbe. C'était la grande noirceur. Les Dourbons, à ce moment-là, étaient une armée de mercenaires convoitée. Certains chefs de tribus faisaient appel à leur force pour gagner la guerre contre les autres.*

Suspendus aux lèvres de Bellule, nous retenons notre souffle. Même Fabri écoute avec attention l'histoire.

— *Un jour, nos ancêtres ont proposé une trêve, du moins, le temps que la nature se régénère. L'effet a été saisissant! En peu de temps, la végétation s'est répandue à nouveau sur la planète filante. Il y avait de la nourriture en abondance pour tous les insectes. Les chefs de toutes les tribus ont compris que leur consommation avait un impact direct sur l'état de la nature.* **De cette idée est née l'Alliance.**

Bellule ferme les yeux et récite par cœur le contenu de l'Alliance :

— *Tout insecte s'engage à préserver la nature qui le nourrit, le soigne et l'abrite. Aujourd'hui, la plupart des insectes respectent cet engagement. Personne ne prend de la nature plus que ce qui est nécessaire à sa survie. Ce mode de vie assure la paix et la prospérité au sein de notre colonie. Nous vivons en parfaite symbiose avec la nature.*

Bellule claque des mains. Concentrés sur le récit, nous sursautons.

— *La journée avance à grands pas. Que diriez-vous de visiter notre colonie?*

— **Oh! oui!** répond Tornu, avec un enthousiasme suspect.

CHAPITRE 11

Dans le mille!

La grande sage nous guide lentement jusqu'au cœur de l'arbre à fleurs. Bellule s'appuie sur un long sceptre pour marcher. Elle semble très vieille.

En chemin, je découvre toute la beauté de la colonie. À l'ombre de l'arbre à fleurs, la communauté de l'Alliance a construit un magnifique village. Des tours majestueuses avec de nombreuses fenêtres rondes sont érigées à même le sol. Autour du tronc de l'arbre géant, dans les plis de l'écorce, s'élèvent d'autres structures magnifiquement sculptées. Droite jubile devant ces œuvres artistiques.

Quant à 3R-V, il est émerveillé par le déplacement des insectes. Au sol comme dans le ciel, les insectes circulent à toute vitesse. Au milieu d'un embranchement, j'observe la présence d'une luciole. Avec sa lumière, elle assure la bonne coordination des insectes.

J'ai la tête qui tourne tant il y a de merveilles à observer. À côté de moi, Fabri a l'œil exorbité de terreur. Il y a trop d'insectes autour de lui. Le bonhomme mauve est constamment sur le qui-vive.

Au pied de l'arbre à fleurs, la grande sage souhaite nous montrer le temple, situé plus haut, dans le cœur de l'arbre.

Soudain, un craquement attire mon attention vers le haut. Un énorme objet tombe directement sur moi.

À toute vitesse, un insecte ailé fonce vers moi et me pousse. **BANG!** L'énorme chose tombe violemment au sol exactement à l'endroit où j'étais.

— ***Merci!*** dis-je. ***À qui ai-je l'honneur?***

— *Danlemil pour vous zervir!* se présente l'insecte en zézayant.

— Qu'est-ce que c'est? demande Gauche en pointant le projectile toujours intact, et ce, malgré l'impact de la chute.

— *Z'est le Fruit de l'arbre à Fleurs!* explique Danlemil.

— *C'est un Fruit, ça?* demande Fabri. *Il n'a pas l'air très juteux.*

— *Nous zignorons si le Fruit est juteux ou non,* avoue Danlemil.

— *La coquille du fruit est incassable,* explique Bellule.

85

À ces mots, les deux têtes réagissent vivement.

— **Voilà qui explique que l'arbre à fleurs soit le dernier de son espèce!** lance Gauche.

À l'intérieur de la coquille, le fruit ne peut pas germer, explique la tête scientifique. L'arbre à fleurs est donc incapable de se reproduire. Pour sauver cette espèce d'arbre à fleurs, il suffit de casser la coquille.

— *Ainsi, la graine germera dans le sol et d'autres arbres à fleurs pousseront sur la planète filante,* comprend Droite.

Les deux têtes examinent le fruit. Gauche se tourne vers le vaisseau-robot et lui demande :

—**Es-tu capable de briser la coquille?**

— **Avec mon fuselage hyper solide, cette coquille ne me résistera pas!**

3R-V s'élance dans le ciel, puis se tourne en direction du fruit. À vive allure, il fonce vers l'objet à briser.

Le vaisseau-robot rebondit violemment sur le sol. 3R-V est surpris de constater que la coquille du fruit n'est même pas égratignée.

— C'est la première fois que je vois une matière aussi solide!

— **Pffff!** lâche Tornu. **Je suis convaincu que ce n'est pas si dur.**

— Alors, essaie par toi-même, suggère 3R-V.

— **Croyez-vous que je vous rendrais ce service gratuitement?** lance Tornu. **Que me donnerez-vous si je casse votre petite noix?**

— *Nous te donnerons ce que tu veux,* dit la sage.

À ces mots, Tornu transforme son casque en vrille. Il s'imagine déjà portant une couronne et possédant les plus somptueux trésors de l'Univers.

— **Tenez fermement le fruit,** exige Tornu avec assurance. **Je percerai la coquille d'un seul coup de vrille!**

Il prend un élan et fonce tête première sur le fruit. Sur le coup, Tornu est propulsé au loin. Il se lève d'un bond, fier de son exploit. Pourtant, la coquille du fruit est toujours intacte.

— **Nom d'un fruit sec!** lance Tornu, démonté.

Les deux têtes se creusent la tête. Comment briser la coquille de ce fruit? se demandent-elles.

Près de moi, Bellule a une petite faiblesse. Appuyée sur son sceptre, elle prend la parole :

— *Je suis trop fatiguée pour poursuivre la visite. Je vous laisse entre les mains de Danlemil. Pour ma part, je vais me reposer au temple.*

Bellule monte lentement les marches qui conduisent à l'entrée du temple.

— **Zuivez-moi!** invite Danlemil.

Les deux têtes déclinent l'invitation. Droite et Gauche analyseront plutôt le fruit de l'arbre à fleurs afin de percer son secret.

***

Nous visitons la colonie, guidés par Danlemil. Fabri se tient à l'écart de lui. La vue du dard affilé de l'insecte le rend plus que nerveux. Au bout d'un moment, Danlemil s'approche de lui.

— *Quelle mouche t'a piqué?* demande-t-il à Fabri avec un ton pince-sans-rire.

Le bonhomme mauve fige sur place. Danlemil rit.

— *Est-ze mon dard qui t'efFraie? Tu n'as pas à avoir peur de moi, ze ne pique pas!*

Fabri sourit timidement à ce jeu de mots. Danlemil a toujours le mot pour rire. Il tente de rassurer Fabri.

— *Ze dard, z'est toute ma Fierté!* confie Danlemil. *Il met du piquant dans ma vie!*

Le bonhomme mauve pouffe de rire.

— *Tu piques ma curiosité!* avoue Fabri. *Que peux-tu Faire avec ton dard, autre que Faire peur?*

— **Me voilà piqué au viF!** répond Danlemil. *Zavais-tu que je zuis le grand champion de la grande compétition de dard?* dit-il en pointant sa médaille.

CHAPITRE 12

Visite guidée

Nous poursuivons notre visite de la colonie. Au cours de l'après-midi, nous rencontrons plusieurs espèces d'insectes géants : un balayeur de rues avec des mandibules poilues comme un balai, un cordonnier à mille pattes, un pompier recouvert d'une carapace ininflammable et un ver agriculteur.

Nous croisons un « insectautobus ». Quelques jeunes insectes montent à bord. J'entends une mère dire à son fils :

— **Sois prudent lors de la sortie éducative! Suis bien les consignes.**

— **Oui, maman!** promet l'enfant, visiblement agacé.

Plus tard dans la journée, Danlemil nous guide jusqu'à un barrage en amont de la colonie. À toute vitesse, un insecte chapeauté d'une solide carapace avance vers nous, en panique.

— *Voici Cask, l'ingénieur de la colonie,* présente Danlemil. *Il a construit le barrage qui empêche l'étendue d'eau de se déverser sur notre village.*

— **Ne touchez à rien!** chicane Cask. **Le barrage est déjà assez fragile comme ça!**

— *Pourquoi?* demande Danlemil.

L'insecte ingénieur nous explique :

— Hier, un gigantesque objet non identifié est tombé dans l'eau. Toute la structure a été ébranlée. Depuis, le barrage est fragile. Je dois le réparer avant la prochaine pluie.

Soudain, un insecte aux longues antennes surgit derrière nous.

— **Ah, Météox!** s'exclame Cask. **Dis-moi que les nouvelles sont bonnes?**

— Désolé, soupire l'insecte météorologue. Brrr! Les prédictions sont toujours aussi mauvaises. Demain, selon les données que je capte avec mes antennes, je prévois une tempête. Des pluies diluviennes s'abattront sur la colonie. Brr! Ne sentez-vous pas ce vent frais? Brrrr!

— **Le barrage doit vite être solidifié. Je retourne au travail,** nous dit l'ingénieur avant de disparaître.

Au même moment, le soleil se couche à l'horizon. Mon regard se tourne vers la colonie plus bas. Tous les pétales scintillent, éclairés par les rayons du soleil couchant. Le décor est fabuleux. Dire qu'il y a quelques heures, nous ignorions tout de ce monde qui cohabite avec nous sur la planète filante. Je savoure cet instant paisible.

Un cri de panique brise la magie du moment et attire mon attention vers l'arbre à fleurs.

CHAPITRE 13

Sève aux mille vertus

Sans perdre une seconde, nous retournons au pied de l'arbre à fleurs. La mère rencontrée plus tôt lors de notre visite tient son fils fiévreux dans ses bras. Bellule apparaît devant l'antre du temple.

Elle ordonne à la mère d'emmener son enfant à l'intérieur, près d'un vase de cristal vide. Discrètement, nous entrons dans le temple. Même les deux têtes lâchent l'étude du fruit de l'arbre à fleurs et se joignent à nous.

Bellule se penche au-dessus du jeune insecte.

— *Que lui est-il arrivé?*

— **Lors de la sortie éducative, il a pris une croquée dans un champignon vénéneux. Donnez-lui de la sève aux mille vertus,** supplie la mère en pleurs.

— *Hélas, il n'y en a plus,* soupire Bellule.

La grande sage regarde vers le contenant vide.

— *Notre réserve de l'an passé est épuisée. Nous attendons que la sève aux mille vertus coule d'un jour à l'autre de l'arbre à fleurs.*

Impuissants, nous observons l'état de l'enfant qui se dégrade à vue d'œil. Le petit gémit de douleur, les mains posées sur son abdomen. Il grelotte : parfois de chaleur, parfois de froid. De grosses gouttes de sueur perlent sur son front.

— *Sa fièvre augmente,* note Bellule. *Son unique chance de survie dépend de la sève aux mille vertus.*

Au-dessus de nous, des veines sombres, reliées à l'arbre à fleurs, sont connectées au vase de cristal. En silence, nous attendons avec espoir que la fameuse sève y coule.

Le petit insecte a les yeux mi-clos. Sa peau pâlit de façon drastique. Sous le regard paniqué de sa mère, il sombre dans un profond coma.

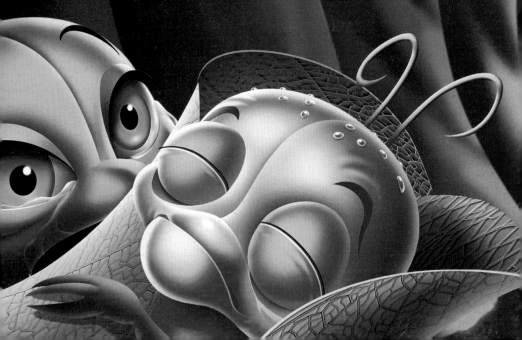

Au même moment, les veines au-dessus de notre tête s'illuminent. À l'intérieur, une sève phosphorescente s'écoule lentement jusqu'au vase de cristal.

Aussitôt, Bellule trempe une feuille dans la substance lumineuse, puis la dépose sur les lèvres de l'enfant.

En à peine quelques secondes, une aura lumineuse enveloppe le petit insecte. Il ouvre enfin les yeux.

L'enfant se lève d'un bond, embrasse sa mère et retourne jouer avec ses amis.

— **Merci, grande sage, vous avez sauvé mon fils,** lance la mère, avec émotion.

— *Je n'ai aucun mérite,* dit Bellule. *C'est l'arbre à fleurs qui a sauvé votre enfant!*

Ébahis, mes amis et moi fixons l'incroyable sève dans le vase de cristal. C'est probablement de ce pouvoir magique dont parlaient les espérances en nous décrivant l'arbre à fleurs!

— ***Cette sève est incroyable!*** dis-je.

— *Effectivement,* **confirme Bellule.** *C'est la source de notre prospérité.*

— **Comment fonctionne-t-elle?** questionne Tornu, les yeux brillants.

— *Une fois par année, l'arbre à fleurs libère en faible quantité une sève aux mille vertus. Cette précieuse substance nous assure la santé. L'arbre à fleurs est un élément majeur de l'Alliance. Nous prenons soin de lui et il nous le rend bien! Mais plus il vieillit, moins il nous donne de sève : nous devons faire preuve de beaucoup de retenue.*

Tornu frotte son menton.

— **Cette sève est rare et précieuse… Elle vaut sûrement très cher!** calcule Tornu.

— *Sa valeur est **inestimable!*** précise Bellule.

— **Inestimable,** répète Tornu, le regard malicieux.

Je me tourne vers mon ami.

— ***Tornu, je connais ce regard! Que manigances-tu?***

— **Rien,** répond Tornu, peu convaincant.

Bendle sort du temple. Elle fait une grande annonce à la colonie :

— *La sève aux mille vertus a fait son apparition. Que la fête commence!*

Tous les insectes acclament la nouvelle avec joie. La grande sage se tourne vers nous.

— *Nous profiterons de l'occasion pour intégrer dans l'Alliance nos nouveaux amis!*

HOURRA!

OURRA!

HOURRA!

HOURRA!

HOURRA!

HOURRA!

CHAPITRE 14

Trouble-fête

Au cours de la soirée, nous mangeons des plats exotiques, puis nous dansons et chantons au rythme des insectes musiciens. Même les deux têtes sont de la fête, bien qu'elles passent la soirée à élaborer des stratégies pour ouvrir le fruit de l'arbre à fleurs.

La grande sage grimpe sur un podium au milieu des festivités. Éclairée par quelques insectes lumineux, Bellule prend la parole :

— *Aujourd'hui, la sève aux mille vertus a coulé de l'arbre à fleurs. Chaque année, nous célébrons son arrivée avec la grande fête de l'Alliance. Profitons de cette occasion pour accueillir de nouveaux amis dans l'Alliance. Cosmo, 3R-V, les deux têtes, Fabri et Tornu, joignez-vous à moi !*

Nous grimpons sur le podium aux côtés de Bellule. La foule est en liesse. Quel moment de joie! Alors que je souris à mes amis, je constate l'absence de Tornu. Où est-il? Il manque toute une fête!

3R-V se tourne vers moi.

— Dire que nous ignorions la présence de cette communauté sur la planète filante, s'étonne encore le vaisseau-robot.

Les deux têtes ne tiennent plus en place.

— Nous devons résoudre l'énigme du fruit incassable, soutient Gauche. Sinon…

— … fini, l'arbre à fleurs, pour cette colonie de bonheur, oh! quel malheur! complète avec poésie la tête droite.

Les deux têtes sautent du podium.

— Où as-tu déposé le fruit? demande Gauche à sa jumelle.

— C'est toi qui l'as tenu en dernier!

Les deux têtes s'éloignent de la fête en chicane. Une gigantesque silhouette sort de l'ombre et leur bloque le passage.

C'est Zark, le chef des Dourbons! Brutalement, il se fraye un chemin parmi la foule. À chacun de ses pas, le sol tremble sous nos pieds.

Zark s'arrête en face de la grande sage Bellule. Le silence règne dans la colonie.

— *Bienvenue Zark,* **lance Bellule.** *Je suis honorée de votre présence à la grande fête de l'Alliance. C'est une première!*

— **Je dirais plutôt la dernière,** répond Zark avec mépris.

Avec horreur, je constate que l'armée des Dourbons cerne la colonie.

— *Pourquoi ruinez-vous la grande fête de l'Alliance?* demande Bellule.

— **Pourquoi? POURQUOI?** se fâche le chef en grimpant sur le podium. **Parce que l'Alliance est une véritable erreur. Nous venons y mettre un terme!**

Son regard accusateur survole la foule.

— **Depuis le début de cette trêve, les Dourbons sont mis de côté. Vous nous rejetez comme si nous étions bons à rien.**

— *Vous n'avez jamais voulu partager les valeurs de l'Alliance!*

— Ce n'est pas notre rôle, crache le chef des Dourbons. Mon espèce existe pour se battre, c'est tout. Depuis la naissance de l'Alliance, il n'y a plus de guerre.

Le chef des Dourbons s'adresse à tous les insectes.

— Dans 48 heures, nous détruirons à jamais cette alliance de malheur.
Le monde des insectes vivra à nouveau sous le règne des Dourbons.
Nous vous déclarons la guerre!

Bellule ne bronche pas sous la menace.

— **Ne soyez pas si confiante! Votre colonie n'a aucune chance de survivre à notre attaque,** s'écrie Zark, **à moins de vous joindre à notre armée pour anéantir les autres colonies de l'Alliance.**

— *Jamais!* refuse Bellule. *Notre colonie ne pliera pas sous ces menaces. Elle restera unie et forte. Nous ne laisserons pas les Dourbons mettre un terme à l'ère de paix que nos ancêtres ont si difficilement établie.*

— **Dans ce cas, nous nous reverrons dans deux jours sur le champ de bataille. Nous vous écraserons! Nous serons sans pitié. Mouah, ha, ha!**

Avec fracas, le chef des Dourbons et son armée quittent le village. C'est le silence total dans la colonie. Le vent soulève violemment les pétales au-dessus de nous. Il y a de l'orage dans l'air. Je pose une aile sur l'épaule de Bellule.

— *Comment allez-vous, grande sage?*

— *Tout va bien!* se ressaisit-elle. *Tant que nous avons la sève aux mille vertus, peu importe ce que dit Zark, nous résisterons! Il en va de l'avenir de l'Alliance.*

Soudain, Danlemil se pose en panique aux pieds de Bellule.

– La zève a disparu!

annonce Danlemil.

Le visage de Bellule devient livide. Un murmure de panique s'élève dans la colonie.

CHAPITRE 15

Problème de taille!

Aussitôt, le nom de Tornu me vient en tête. Il brille par son absence.

— *Je soupçonne Tornu d'être derrière ce vol!* dis-je à mes amis.

— **Trouvons-le avant qu'il ne se sauve avec la sève,** propose 3R-V.

Aux premières lumières du jour, nous localisons Tornu de l'autre côté de l'arbre à fleurs. Face à face, je lui pose la question :

— *Pourquoi n'étais-tu pas à la fête?*

Tornu ne répond pas.

— **Tu as volé** *la sève,* accusent les deux têtes. **Ne le** *nie pas!*

— **Où l'as-tu cachée?** demande 3R-V.

Tornu pointe quelque chose derrière nous. Nous tournons sur nos talons.

C'est alors que nous découvrons une gigantesque bouteille à vaporiser.

— **Qu'est-ce que...** dis-je, sous le choc.

— *Ça ressemble à une version géante du chasse-insectes que vous m'aviez prêté!* lance Fabri.

— D'ailleurs, je voulais vous remercier. J'ai tellement bien dormi l'autre nuit en vaporisant tout le contenu de la bouteille sur notre tente, ajoute Fabri avec insouciance.

— **Qu**oi? paniquent les deux têtes. **Explique-nous en détail** ce que tu as fait!

— Je n'arrivais pas à fermer l'œil à cause des insectes. Au bord de la panique, je suis sorti au milieu de la nuit pour fouiller dans votre sac à dos. J'ai mis la main sur le chasse-insectes, puis j'ai vaporisé le contenu sur notre tente. J'avais peur de vos représailles, surtout que vous m'aviez confisqué la bouteille un peu plus tôt. Je l'ai donc jetée au loin.

Les deux têtes le foudroient du regard.

— Oups ! Vous semblez en colère, remarque Fabri. Je n'aurais pas dû vous raconter cette histoire.

117

— Tu ne comprends pas, Fabri! Ce n'est pas le chasse-insectes que tu as vidé... commence Droite.

— ...mais notre invent'œuvre!

termine Gauche avec un air dramatique.

Depuis le début de cette excursion, les deux têtes font constamment allusion à cette invent'œuvre. Je me tourne vers elles avec un regard interrogatif.

— À l'aide de notre invent'œuvre, nous voulions réduire l'arbre à fleurs à la taille d'un bouquet, commence la tête droite.

— Ainsi, il aurait été facile de le transporter jusqu'à notre laboratoire afin de l'étudier, complète la tête scientifique.

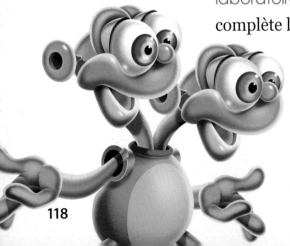

– Nous sommes donc plus petits qu'une vis!

comprend 3R-V, en panique.

Dans ma tête, les idées se bousculent. Mes amis et moi sommes terrorisés. Nous voilà réduits à la taille des insectes alors qu'une terrible guerre se prépare.

Qu'adviendra-t-il de nos nouveaux amis et du peuple de l'Alliance?

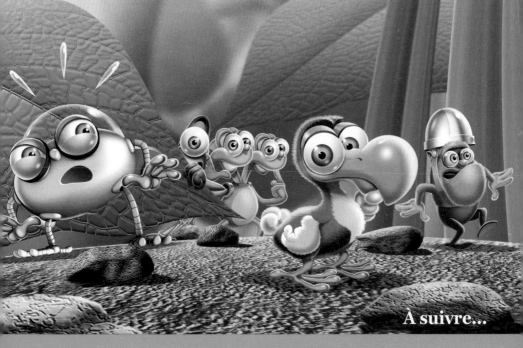

À suivre...

Continue cette grande aventure dans *L'Alliance 2 : L'ATTAQUE!*

Découvre la suite!

Demande ce livre à ton libraire.
www.cosmoledodo.com

1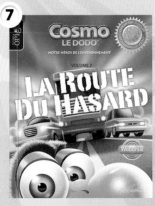

2

3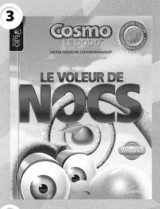

4

5

6

7

8

9

www.cosmoledodo.com

Répertoire des Webonus de cette aventure

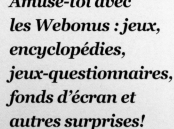

Amuse-toi avec les Webonus : jeux, encyclopédies, jeux-questionnaires, fonds d'écran et autres surprises!

Tape l'adresse du site Web de Cosmo :
www.cosmoledodo.com
et entre le code inscrit dans la pastille
que tu trouveras au coin de la page.
Tu accèderas aux Webonus!

La collection de Cosmo le dodo est un coup de cœur environnement, autant pour ses péripéties amusantes et divertissantes que pour ses concepts en lien avec les valeurs de la vie et de la nature.

PRIX PHÉNIX DE L'ENVIRONNEMENT

Cosmo le dodo est fier d'avoir reçu la plus haute distinction en environnement au Québec.

PRIX TAMARACK

Le choix des enfants parmi une sélection des meilleurs livres canadiens rédigés en français.

FONDATION QUÉBÉCOISE EN ENVIRONNEMENT

Cosmo le dodo est soutenu par des organisations phares en matière d'environnement.